Petit-Bleu et Petit-Jaune

Leo Lionni

 l'école des loisirs, 11, rue de Sèvres, Paris 6e

Voici Petit-Bleu.

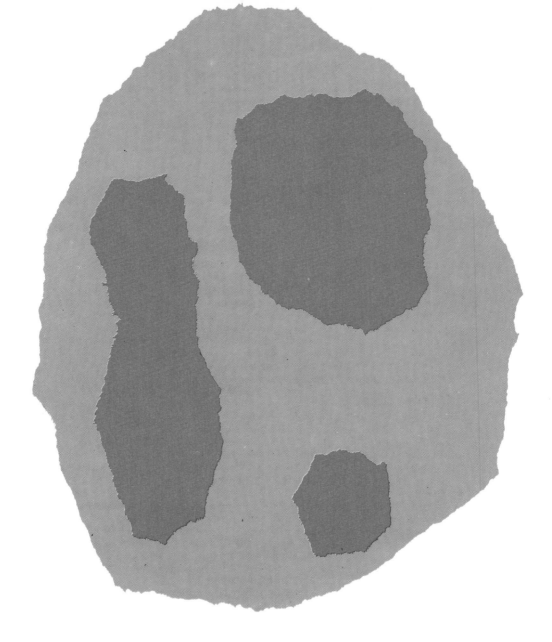

Il est à la maison avec Maman-Bleu et Papa-Bleu.

Petit-Bleu a beaucoup d'amis.

Mais son meilleur ami c'est Petit-Jaune

qui habite dans la maison d'en face.

Ils aiment jouer à cache-cache

et faire la ronde.

En classe, ils doivent rester tranquilles et sages ;

mais àprès la classe ils courent et sautent.

Un jour Maman-Bleu lui dit : " Je dois sortir ; attends-moi à la maison".

Mais Petit-Bleu veut jouer avec Petit-Jaune et il va le chercher dans la maison d'en face.

Mais la maison est vide.

Où est Petit-Jaune ? Il le cherche par-ci,

il le cherche par-là,

il le cherche partout... jusqu'à ce que, soudain, à l'angle d'une rue...

Le voilà !

Tout heureux, ils s'embrassent.

Ils s'embrassent si fort...

...qu'ils deviennent tout vert.

Ils vont s'amuser dans le parc,

ils creusent un tunnel.

Ils rencontrent Petit-Orangé.

Ils grimpent sur une butte.

 Et quand ils sont fatigués,

ils rentrent à la maison.

Mais Papa-Bleu et Maman-Bleu disent : " Tu n'es pas notre Petit-Bleu, tu es vert ! ".

Papa et Maman Jaune disent : " Tu n'es pas notre Petit-Jaune, tu es vert ! ".

Petit-Bleu et Petit-Jaune sont très tristes. Ils versent de grosses larmes jaunes et bleues.

Ils fondent en larmes jaunes et bleues.

Enfin remis de leur émotion, ils se retrouvent comme avant.
" Nous reconnaîtra-t-on à présent ? "

Maman-Bleu et Papa-Bleu sont heureux de revoir leur Petit-Bleu.

Ils l'embrassent et le serrent très fort.

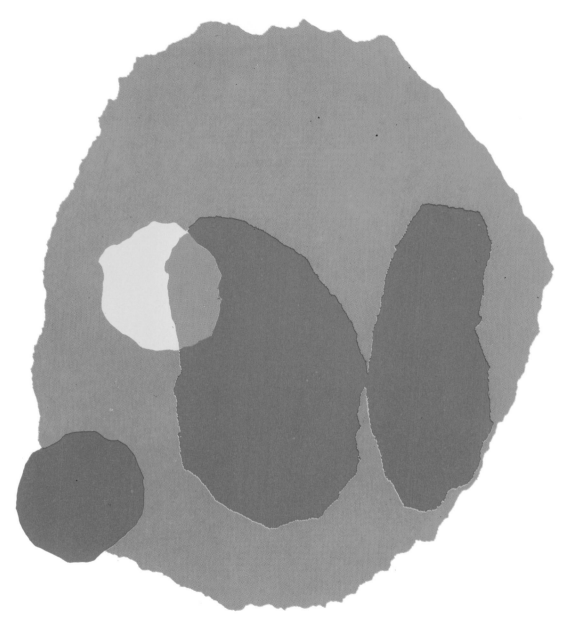

Ils embrassent et serrent très fort aussi Petit-Jaune.

Mais voilà que dans l'embrassade ils deviennent verts !

Alors ils comprennent ce qui est arrivé.

Ils courent à la maison d'en face porter la bonne nouvelle.

Tous s'embrassent avec joie.

Et les enfants s'amusent jusqu'à l'heure du dîner.

FIN